Jean de La Fontaine

Trois fables

Le lièvre et la tortue

Un jour, le lièvre parle à ses amis.

– Je suis un excellent coureur, dit-il. Je peux courir très vite. Je peux courir plus vite que tous les animaux de la forêt.

– C'est vrai ça ? demande son ami le lapin.

– Bien sûr, répond le lièvre. Dans la forêt, il y a des lapins, des renards, des cerfs, des blaireaux, des castors, des souris, des hérissons, des escargots et des insectes. Et ils sont tous plus lents que moi ! Je suis l'animal le plus rapide de la forêt !

– Ne m'oublie pas ! dit la tortue.

– Toi ? dit le lièvre. Tu ne peux pas courir ! Tu es l'animal le plus lent de la forêt ! Tu es plus lente que l'escargot.

– Si tu veux, on peut faire une course, dit la tortue.

– Quoi ! Tu veux faire la course avec moi ? dit le lièvre.

– Oui, toi et moi, dit la tortue.

– D'accord, dit le lièvre. Nous pouvons faire la course cet après-midi à trois heures.

Tous les animaux sont très impatients.

– Vous devez venir voir la course, disent les blaireaux aux castors.

– Vous devez venir voir la course, disent les souris aux renards.

– Vous devez venir voir la course, disent les escargots aux insectes.

– Tout le monde doit venir voir la course, disent les hérissons.

Il est trois heures. C'est l'heure de la course !

– Trois, deux, un… Partez ! dit le blaireau.

Le lièvre part très vite. Les autres animaux ne peuvent pas le voir. Il est déjà dans la forêt !

La tortue marche, lentement mais sûrement.

Le lièvre ne peut pas voir la tortue.

– Elle est si lente ! Je peux m'arrêter et l'attendre, dit le lièvre.

Le lièvre s'assoit sous un grand arbre et attend la tortue. Et il s'endort ! La tortue marche, lentement mais sûrement. Elle dépasse le lièvre endormi.

Le lièvre continue à dormir. La tortue continue à marcher. Bientôt, elle peut voir la ligne d'arrivée. Regardez ! Voilà la tortue ! disent les animaux.
Le lièvre se réveille, mais il est trop tard ! La tortue a gagné !

– Bien fait ! Bien fait ! crient tous les animaux. La tortue a gagné ! Bien fait !

– Oui, dit la tortue. Lentement mais sûrement, voilà comment on gagne une course !

Le lion et la souris

Dans la jungle, c'est une belle journée.

Des souris jouent et un gros lion dort au soleil. Une souris saute sur la patte du lion. Le lion se réveille et rugit.

GRRR !

Il pose sa patte sur la queue de la souris et ouvre la bouche. Il veut manger la souris.

– Couic, couic ! Je suis vraiment désolée, dit la souris. S'il te plaît, ne me mange pas !

– D'accord, dit le lion. Je suis un gentil lion. Va jouer avec tes amis.

– Oh ! Merci beaucoup, dit la souris. Un jour, moi aussi je pourrai t'aider.

– Je pense qu'une petite souris ne peut pas aider un gros lion, dit le lion.

Le lendemain, la souris se promène dans la jungle et entend un rugissement.

GRRR ! GRRR ! GRRR !

C'est le lion ! Il est pris dans un filet.

– Je peux t'aider, dit la souris.

– Comment peux-tu m'aider ? demande le lion. Tu n'es qu'une petite souris !

La souris s'assoit sur la tête du lion. Elle commence à ronger la corde. Elle continue à ronger la corde encore et encore.

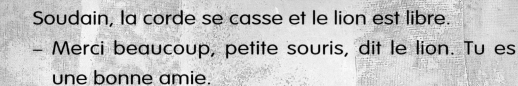

Soudain, la corde se casse et le lion est libre.

– Merci beaucoup, petite souris, dit le lion. Tu es une bonne amie.

– Oui, dit la souris. Un tout petit ami peut devenir un grand ami !

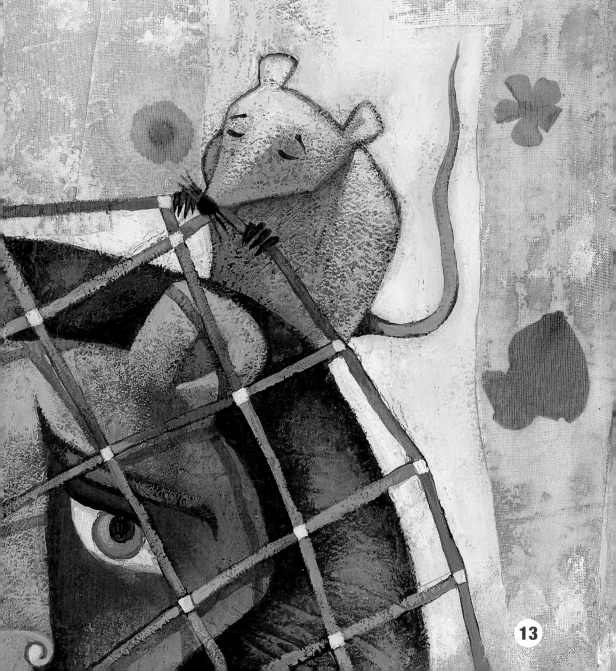

La souris de ville et la souris de campagne

Un jour, une souris de ville va voir son amie à la campagne. La souris de ville aime les champs, la rivière, les fleurs et les arbres.

La souris de campagne habite dans une belle petite maison. Il y a beaucoup de fruits : des pommes, des poires et des oranges. Et il y a aussi des légumes, du pain et du fromage.

– La campagne, c'est très beau, mais c'est très calme, dit la souris de ville. Et je n'aime pas manger des fruits et des légumes, du pain et du fromage tous les jours. Je veux retourner en ville. Tu peux venir avec moi et goûter plein de bonnes choses !

Les deux petites souris arrivent en ville le lendemain.

– Viens dans la salle à manger. Nous pouvons déjeuner, dit la souris de ville.

La souris de campagne est étonnée de toutes les bonnes choses qu'il y a sur la table.

Soudain, un homme et une femme entrent dans la salle à manger.

– Vite, cours ! crie la souris de ville. Nous devons nous cacher !

Les souris se cachent dans un vase. L'homme et la femme déjeunent et s'en vont.

– Maintenant, ça va, dit la souris de ville. Maintenant, nous pouvons déjeuner.

– Cette maison est dangereuse ! dit la souris de campagne.

– Viens, dit la souris de ville, et prends du rôti de bœuf. C'est délicieux ! Puis, prends du gâteau au chocolat et de la glace. Tout est délicieux !

Le soir, les deux souris voient un beau poisson sur la table. Mais un gros chat entre dans la salle à manger.

– Vite, cours ! crie la souris de ville. Nous devons nous cacher !

Les souris se cachent dans un fauteuil. Le chat ne les voit pas et s'en va.

– Maintenant, ça va, dit la souris de ville. Maintenant, nous pouvons dîner.

Non, ça ne va pas ! Toute la famille – le père, la mère et les deux enfants – entrent dans la salle à manger.

– Vite, cours ! crie la souris de ville. Nous devons nous cacher !

Les souris se cachent de nouveau dans le fauteuil. La famille dîne et s'en va.

– Maintenant, ça va, dit la souris de ville. Maintenant, nous pouvons dîner.

– Non, ça ne va pas ! Ça ne va pas ! dit la souris de campagne. Je ne veux pas dîner ! Je n'aime pas me cacher pour échapper au chat ! Et je n'aime pas me cacher pour éviter la famille. Je n'aime pas cette maison dangereuse !

La souris de campagne sort de la maison.

– Au revoir ! Je rentre chez moi, dit-elle.
J'aime manger des fruits et des légumes,
du pain et du fromage dans ma petite
maison tranquille à la campagne.
Je n'aime pas manger du rôti
de bœuf, du poisson, du
gâteau au chocolat et de
la glace dans une
maison en ville, mais
dangereuse.
Au revoir !

Dictionnaire en images

manger

se réveiller

s'endormir

gagner

ronger

marcher

aider

se cacher

la ligne d'arrivée

sauter

jouer

la course

courir

crier

la salle à manger

s'asseoir

une table

s'arrêter

un fauteuil

un vase

du pain  du fromage

la campagne

un gâteau au chocolat

les champs

du poisson

la forêt

des fruits

la jungle

des pommes

des poires

la rivière

des oranges

la ville

une glace

le blaireau le castor

du rôti de bœuf

le cerf le renard

des légumes

le lièvre

le hérisson

délicieux / délicieuse

l'insecte

le lion

tranquille

une souris
et des souris

dangereux / dangereuse

le lapin

l'escargot

beau / belle

la tortue

rapide

lent / lente

la tête

derrière

la jambe

la bouche

dans

sur

la patte

la queue